أُخْطُبُوطٌ تَحْتَ الْمَاءِ

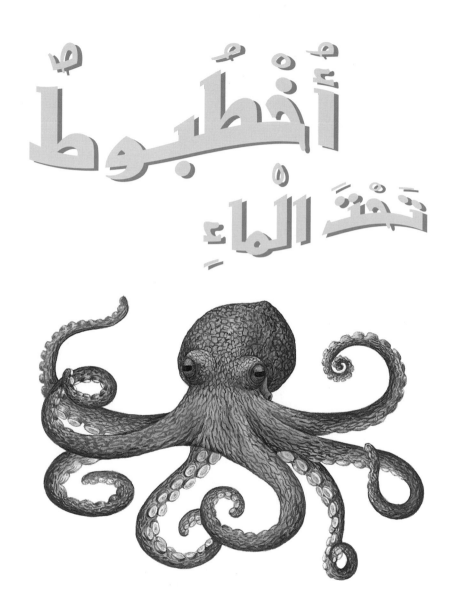

Text copyright © 2001 by Connie and Peter Roop.
Illustrations copyright © 2001 by Carol Schwartz.
First printing, May 2001.
All rights reserved. Published by Scholastic Inc.
SCHOLASTIC and associated logos are trademarks and/or registered trademarks of Scholastic Inc.

ISBN 978-0-439-86380-3

First Arabic Edition, 2006. Printed in China.

1 2 3 4 5 6 7 8 9 10 62 11 10 09 08 07

أُخْطُبوطٌ تَحْتَ الْماءِ

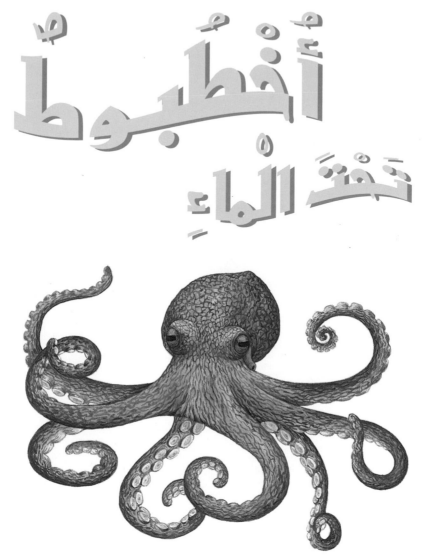

تَأْليفُ: كوني وَ بيتِر رووب • رُسومُ: كارول شْوارْتز

مَنِ الَّذي يَعيشُ في عُمْقِ الْبَحْرِ الأَزْرَقِ؟
مَنِ الَّذي لَهُ أَرْجُلٌ أَكْثَرُ مِنْكَ وَمِنّي؟

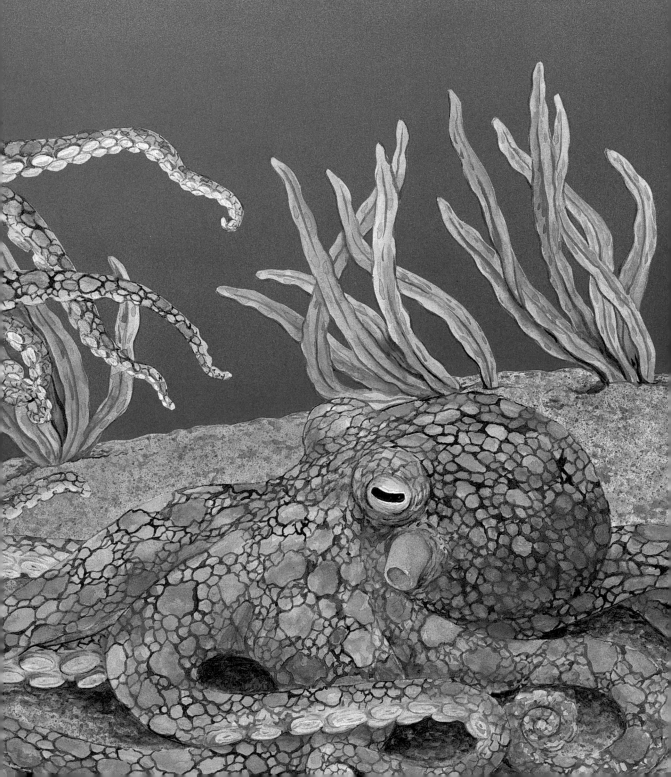

إِنَّهُ الْأُخْطُبُوطُ!

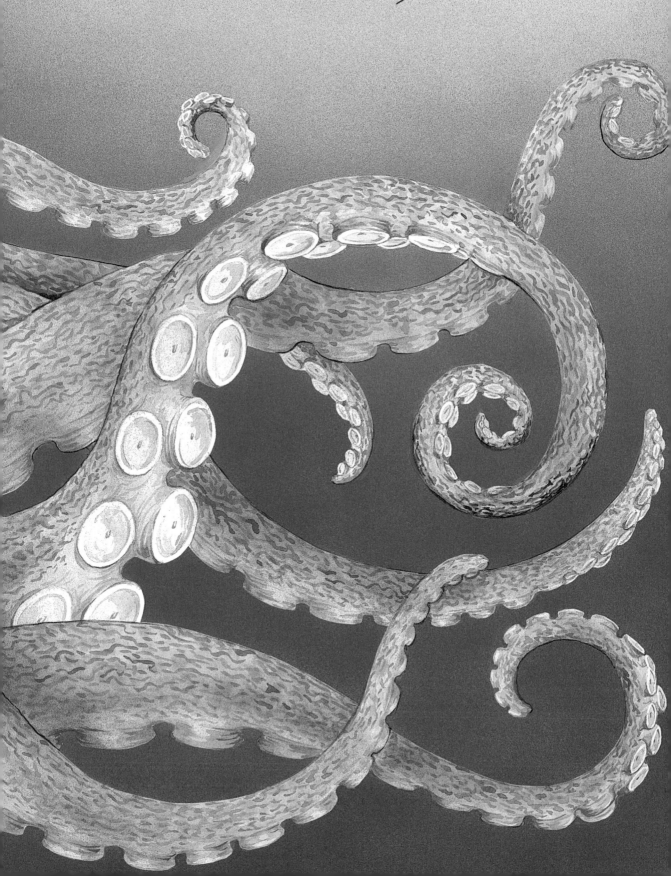

هكَذا يَأْكُلُ الأُخْطُبوطُ، وَيَهْرِبُ، وَيَتَخَفّى،
وَفي كُلِّ بِحارِ الأَرْضِ، يَحْيا.

أَوْ يَكونُ الأُخْطُبوطُ صَغيرًا كَالْحَلَزونِ.

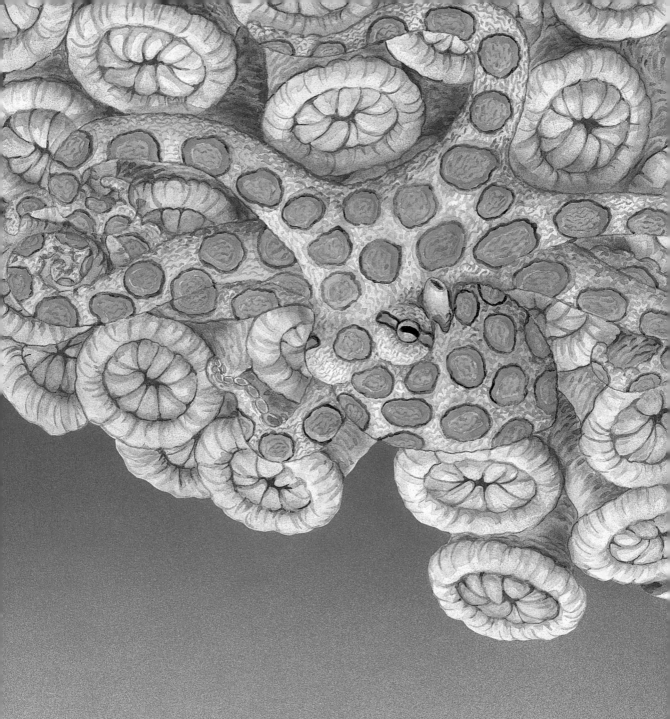

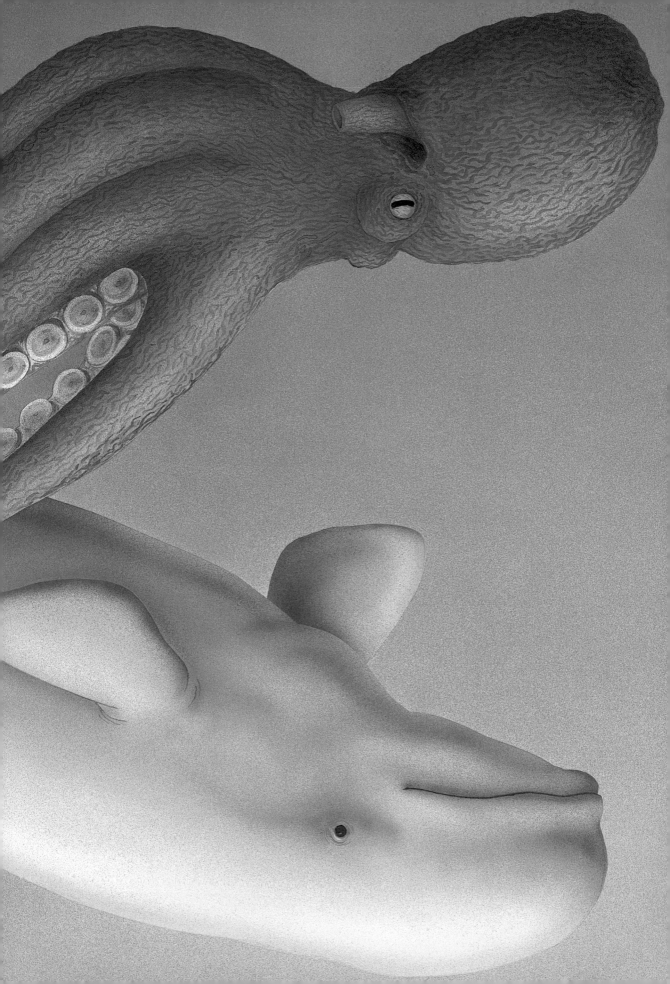

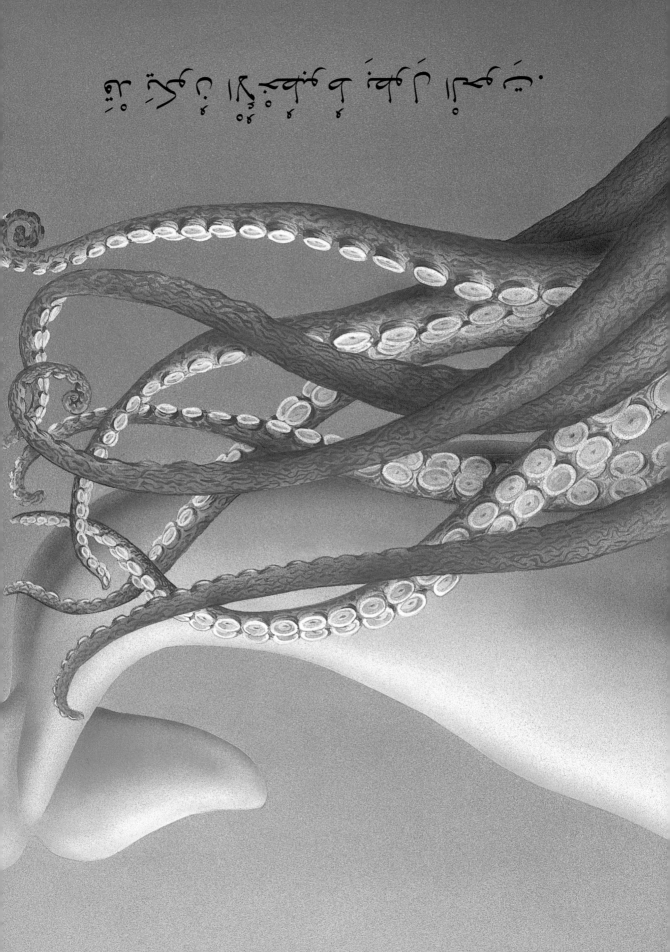

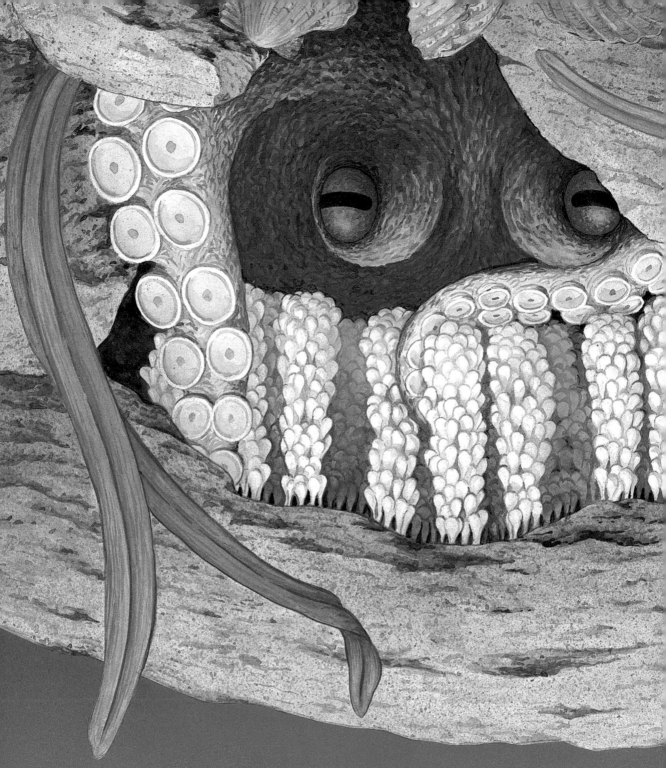

ܦܫܝܼܛܵܐ ܕܐܵܟܼܠܵܐ ܝܠܹܗ ܡܢ ܟܠ ܐ݇ܢܵܫܵܐ܂

ܦܫܝܼܛܵܐ ܟܘܼ݈ܠܵܢܵܝܵܐ ܐ݇ܟܼ ܚܲܝܘܼܬܼܐ ܓܘܼܪܬܵܐ܂

بُيوتُهُ كُهوفٌ وَشُقوقٌ وَفَجَواتْ،
بَعيدَةٌ عَنْ أَمْواجِ الْمُحيطاتْ.

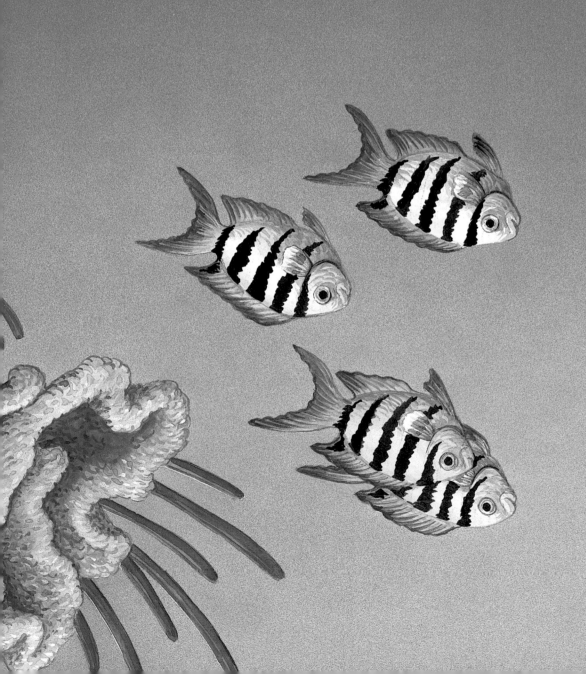

اذا سارت قربَ شجيرةٍ مرجانيّة.

، فانّها تلتقط الطّعامَ العالق بها.

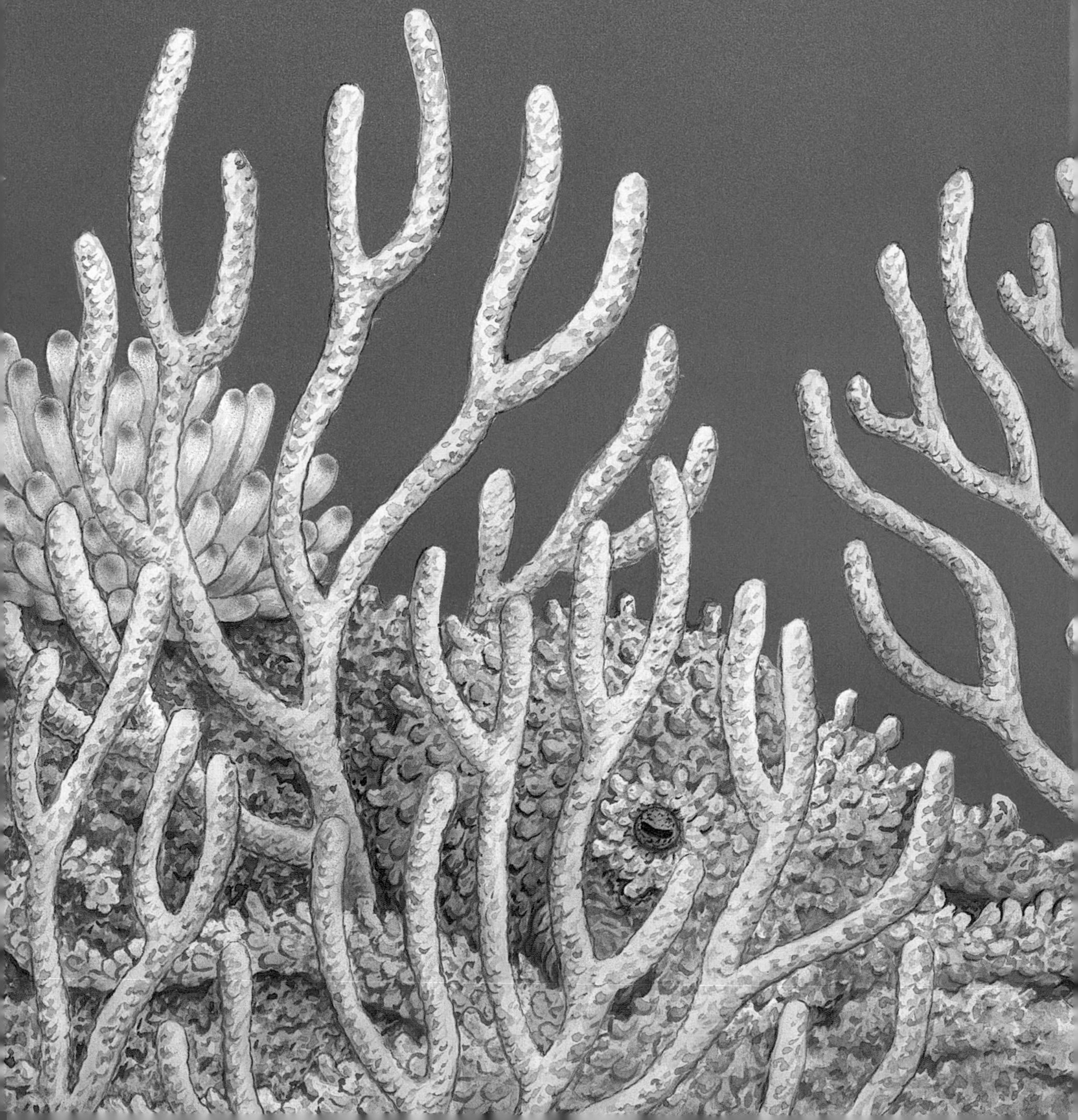

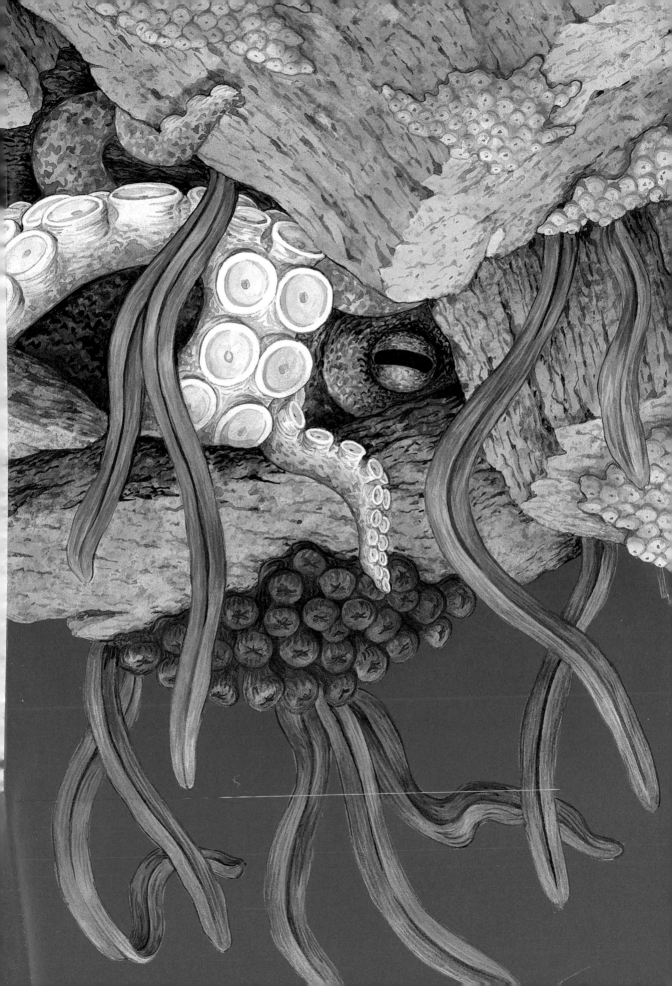

هذهِ الْغَيْمَةُ السَّوْداءُ مُجَرَّدُ خِدْعَةٍ،
تُمَكِّنُ الْأُخْطُبوطَ مِنَ الْهَرَبِ... بِسُرْعَةٍ.

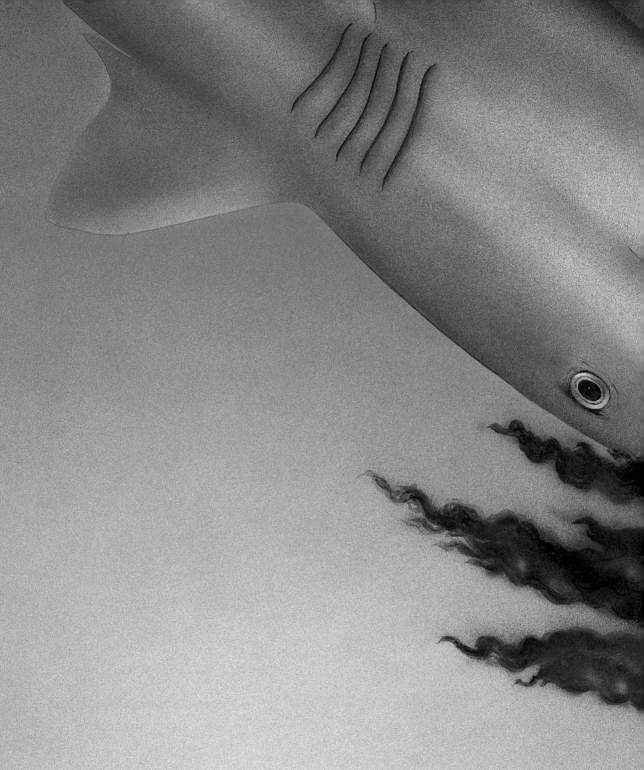

وَلكِنْ اُنْظُرْ! في أَقَلَّ مِنْ لَمْحِ الْبَصَرِ،
يُطْلِقُ الأُخْطُبوطُ مادَّةً سَوْداءَ كَالْحِبْرِ.

فَالْقِرْشُ وَغَيْرُهُ مِنَ الْأَسْماكِ الْمُفْتَرِسَةِ،
تَتَلَذَّذُ بِلُحومِ الْأُخْطُبوطِ الشَّهِيَّةِ.

يَنْطَلِقُ الْأُخْطُبوطُ، إِذا أَحَسَّ بِالْأَخْطارِ.
يَنْفُثُ الْماءَ بِقُوَّةٍ، لِيَلوذَ بِالْفِرارِ.

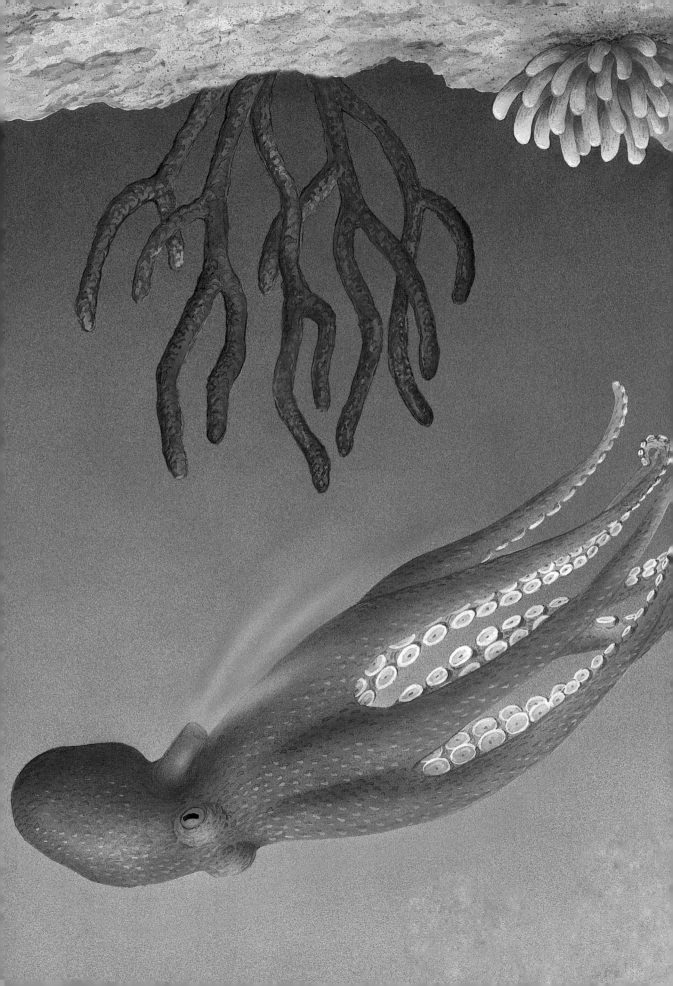

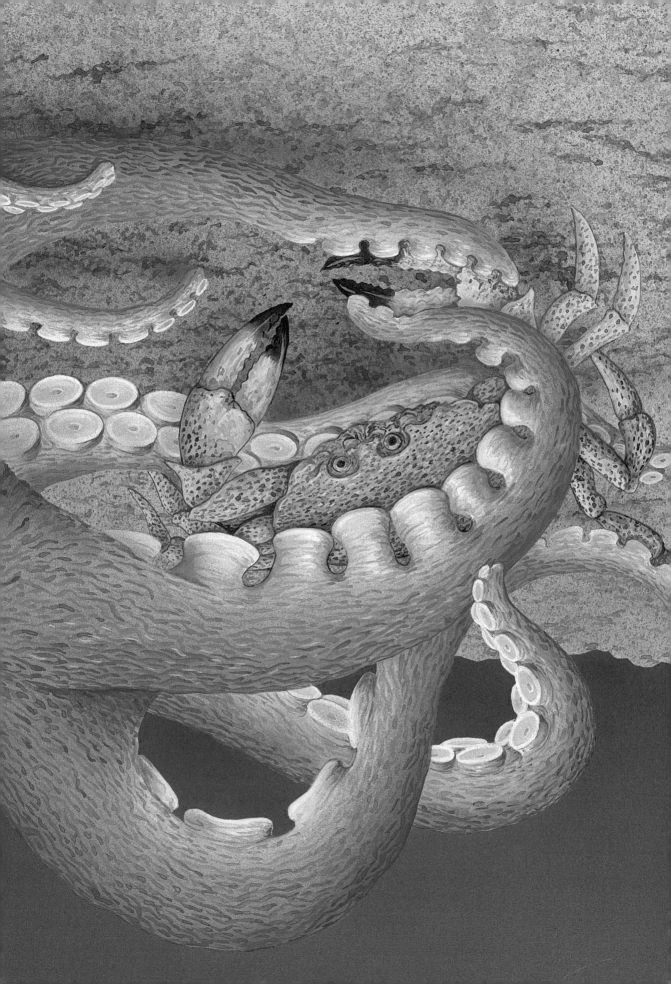

مِنْ مَأْكولاتِ الْأُخْطُبوطِ، لِلْغَداءِ أَوِ الْعَشاءِ:
السَّرَطانُ، وَالْإِرْبِيانُ، وَثُعْبانُ الْماءِ.

ثَمانٍ هِيَ أَرْجُلُهُ الطِّوالُ، الطِّوالُ،
يَزْحَفُ بِها الأُخْطُبوطُ وَيَحْبو.

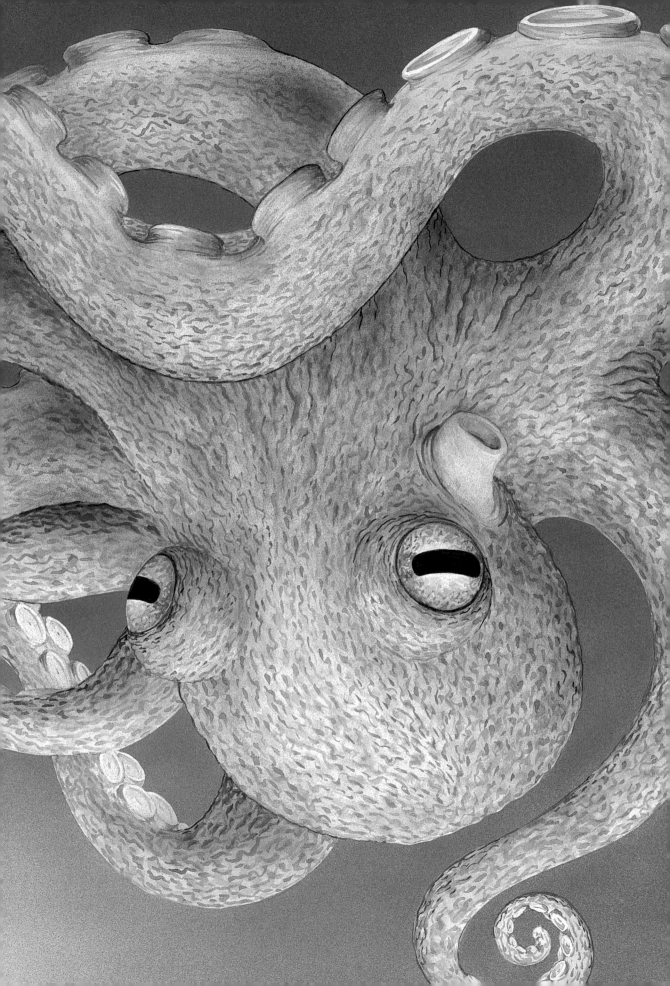